Dix graines,

une fourmi.

Neuf graines,

un pigeon.

Huit graines,

une souris.

Sept pousses,

une limace.

Six pousses,

une taupe.

Cinq plants,

un chat.

Quatre jeunes plantes,

une balle.

Trois grandes
plantes,

un petit chien.

Deux boutons,

beaucoup trop
de pucerons.

Une fleur,

une abeille...

Dix graines !